GARÇONS MANQUÉS

SCÉNARIO, DESSINS & COULEURS
James

FLUIDE GLACIAL

ÉTÉ

TU JOUES AU FOOT ?
NAN !
POURQUOI ?
PARCE QUE JE NE VEUX PAS FAIRE COMME LES AUTRES !
ET TOI, POURQUOI TU JOUES AU FOOT ?
POUR AFFIRMER MA DIFFÉRENCE !
ON VA PAS POUVOIR S'ENTENDRE !
PEUH...

MES PARENTS SONT DIVORCÉS...
LES MIENS AUSSI SONT DIVORCÉS !
JE DÉTESTE LES CONVENTIONS ET FAIRE COMME TOUT LE MONDE !
PAREIL ! JE NE VEUX RIEN FAIRE COMME TOUT LE MONDE ET J'AI MON LIBRE ARBITRE !
TU CROIS VRAIMENT QUE C'EST COMME ÇA QUE TU VAS AFFIRMER TA DIFFÉRENCE ?
OK, TU NE VEUX PAS JOUER AU FOOT... ON FAIT AUTRE CHOSE, ALORS ?
MMH... DIS TOUJOURS...
ON POURRAIT JOUER AUX COW-BOYS ET AUX INDIENS.
C'EST NUL !
C'EST PLUS À LA MODE TON JEU, C'EST UN TRUC DE VIEUX.
BON...
ON JOUE AUX AMÉRICAINS ET AUX IRAKIENS, ALORS ?
COOL !

BON, ALORS, JE FAIS L'IRAKIEN ET, TOI, TU FAIS L'AMÉRICAIN !
OK ?
AH, BAH NON !
POURQUOI EST-CE QUE C'EST MOI QUI FAIS LE MÉCHANT ?
TE PLAINS PAS !
STATISTIQUEMENT, C'EST TOI QUI AS LE PLUS DE CHANCES DE RESTER EN VIE.
BON, BON... DANS CE CAS, OK ALORS...
BAH... TU JOUES PLUS ?
NAN !
ON DIRAIT QUE JE T'AI ENVOYÉ SUR LA TÊTE UN MISSILE AVEC UN DRONE PILOTÉ À DISTANCE ET QUE J'AI GAGNÉ !
PFF... TOUJOURS AUSSI PRÉVISIBLES, CES AMÉRICAINS...

TU VOIS, MOI, JE SUIS UN GARÇON MODERNE ...
C'EST QUOI ÇA ?
J'AI DÉCIDÉ DE LAISSER MA PART FÉMININE S'EXPRIMER, JE REFUSE LE COMPORTEMENT MÂLE MACHO PRIMAIRE.
JE NE SUIS PAS QU'UN PAQUET DE TESTOSTÉRONE !
TAFIOLE !!
JE PRENDS ÇA COMME UN COMPLIMENT !

POURQUOI T'ES PAS COMME LES AUTRES FILLES ?
PARCE QUE JE NE SUIS PAS UNE FILLE !
HA HA HA !
MAIS À QUI VEUX-TU FAIRE CROIRE ÇA ?
À MON FUTUR PATRON !
HEIN ?
JE NE VEUX PAS GAGNER 20% DE MOINS !

?
OH LÀ LÀ ! TON PÈRE DRAGUE MA MÈRE !
BEUH ! C'EST DÉGUEU !
SI ÇA SE TROUVE, C'EST POUR ÇA QU'ON EST LÀ...
ILS SE SONT DONNÉ RENDEZ-VOUS !
ÇA VEUT DIRE QU'ON RISQUE DE SE REVOIR SOUVENT, ALORS...
J'ESPÈRE QU'ILS VONT ROMPRE RAPIDEMENT !
OUAIS !

T'ES VRAIMENT UN MEC, EN FAIT !
MAIS... J'AI RIEN DIT...
JUSTEMENT !

AU FAIT, TU T'APPELLES COMMENT ?
MALCOLM. ET TOI ?
EUH, MOI ? CHARLIE !
CHARLIE ? C'EST PAS UN PRÉNOM DE FILLE, ÇA...
HEY, JE NE SUIS PAS UNE FILLE, JE TE RAPPELLE !
MOUAIS...
CHARLOTTE ! ON VA RENTRER !
CHARLOTTE ?
ADIEU, J'ESPÈRE !
HUHUHU.
YES !

SALUT...
SALUT !
MMH...
J'Y CROIS PAS... T'ES HABILLÉ COMME HIER... TU NE TE CHANGES JAMAIS OU QUOI ?
HÉ, TOI AUSSI T'ES HABILLÉE COMME HIER, D'ABORD !
C'EST BIEN CE QUE JE PENSAIS...
TU N'AS VRAIMENT AUCUNE PERSONNALITÉ À TOUT FAIRE COMME MOI, MA PAROLE...
TU TE DÉFINIS COMMENT, TOI ? NOIR OU BLANC ?
BAH, NOIR... FORCÉMENT !
POURTANT, TA MÈRE EST BLANCHE, DONC TU ES AUTANT L'UN QUE L'AUTRE...
OUI, BEN C'EST LA SOCIÉTÉ QUI ME RENVOIE TOUT LE TEMPS À MA COULEUR DE PEAU.
ET PUIS, TOI, TON PÈRE EST UN HOMME. ÇA NE FAIT PAS DE TOI UN GARÇON POUR AUTANT !
JE NE SUIS PAS UNE FILLE !

TU ES MOCHE !
TOI, TU ES MOCHE !
TA MÈRE EST MOCHE !
TON PÈRE EST MOCHE !
BON, BON, OK... MATCH NUL...
C'EST QUOI CE QUE TU LIS ?
ÇA T'INTÉRESSE MAINTENANT ?
GNA GNA GNA.
C'EST UN LIVRE QUI PARLE DES MÉFAITS DE LA MONDIALISATION.
FAIS VOIR !
STEUPL' !
HA HA HA !
HA HA HA !
JE NE VOIS PAS CE QU'IL Y A DE DRÔLE, HEIN !
"IMPRIMÉ EN CHINE"...
HUHU HU.

HÉ ! MONTRE-TOI, SI T'ES UN HOMME !
AH NON, C'EST VRAI, ÇA NE MARCHE PLUS, ÇA...
MONTRE-TOI, SI T'ES UN HOMME DÉCONSTRUIT !
BON, BON, OK...
QU'EST-CE QUE JE FAIS DANS LA VOITURE DE TON PÈRE ?
BEN, JE CROIS BIEN QU'ON VA CHEZ MOI.
QUELQU'UN PEUT-IL ME LIRE MES DROITS ?
JE VEUX UN AVOCAT !

ET VOILÀ MA MAISON !
MOUAIS...
ÇA FAIT PAS MAL PETIT-BOURGEOIS, QUAND MÊME.
JE... J'AI UN POSTER DE CHE GUEVARA DANS MA CHAMBRE...
AH... DANS CE CAS...
T'AS PAS DE CHIEN ?
BAH, NON.
T'ES NAZE !
?
DANS TOUTE BONNE FAMILLE QUI SE RESPECTE, IL DOIT Y AVOIR UN CHIEN !
AH OUAIS ? ET TOI, IL EST OÙ TON CHIEN, ALORS ?
AH, MAIS MOI, C'EST DIFFÉRENT.
JE SUIS UN REBELLE, MOI !

EURK !
C'EST QUOI, CETTE CHOSE BARBUE ET HIRSUTE EN GROS PULL POURRI ?
C'EST MON GRAND-PÈRE.
C'EST QUAND IL AVAIT 22 ANS ET QU'IL FAISAIT MAI 68.
BEN, ÇA FAIT PAS ENVIE...
OUAIS. LE CIGARE ET LE COSTUME 3 PIÈCES LUI VONT BIEN MIEUX AUJOURD'HUI !
EH OUAIS, MON GRAND-PÈRE A FAIT MAI 68.
WOW !
IL S'EST BATTU POUR LA LIBERTÉ D'EXPRESSION, LA LIBERTÉ D'AIMER !
POUR UN MONDE PLUS JUSTE ET DES LENDEMAINS MEILLEURS !
ET QU'EST-CE QU'IL A GAGNÉ ?
LA PRÉ-RETRAITE À 55 ANS.
LA CHANCE !
TROP FORT, OUAIS !

HO HO ! TON PÈRE ET MA MÈRE S'ENFERMENT DANS LA CHAMBRE...
ILS VONT FAIRE QUOI ?
C'EST TOUJOURS PAREIL.
MON PÈRE VA ENCORE RÉVISER SON ALPHABET AVEC UNE FEMME...
MAIS IL N'EST PAS BON.
IL NE SAIT FAIRE QUE LES A ET LES O...
T'IMAGINES SI NOS PARENTS SE MARIENT ENTRE EUX ?
QUOI ?
BEN, ON SERAIT FRÈRE ET SOEUR...
OH, BON SANG... JE SUIS PRÊT À TOUT ATTENDRE DE LA VIE...
... LES JOIES, LES PEINES, LA MALADIE, LE HANDICAP, LES VICTOIRES, LES DÉFAITES...
TOUT, MAIS PAS ÇA !
PAREIL...

AUTOMNE

SALLE DE BAIN
CUISINE
SALON
DRESSING
SÉJOUR
CHAMBRE
C'EST QUOI, TOUT CE BAZAR ?
BEN, MA MÈRE A DÉCIDÉ D'EMMÉNAGER ICI...
QUOI ? C'ÉTAIT PAS UNE MAUVAISE BLAGUE JUSTE POUR NOUS FAIRE PEUR ?
VISIBLEMENT NON...
L'HORREUR...
ET QU'EST-CE QUE TU FAIS DANS CE CARTON ?
JE FAIS LE PARI QUE ÇA NE VA PAS DURER ENTRE TON PÈRE ET MA MÈRE.
COMME ÇA, JE SUIS DÉJÀ PRÊT À REPARTIR.
J'ENVIE TON OPTIMISME.

TU VAS RESTER TOUT LE TEMPS DANS TON CARTON ?
CHAMBRE
JE PRÉFÈRE Y ATTENDRE LE RENVOI CHEZ L'EXPÉDITEUR.
C'EST PLUS SÛR.
CHAMBRE
NON, PARCE QUE JE PENSE QUE C'EST PARTI POUR DURER ENTRE NOS PARENTS, EN FAIT.
CHAMBRE
ÇA Y EST, ON T'A MIS DANS MA CHAMBRE.
ET JE SUIS OBLIGÉE DE LA PARTAGER AVEC TOI...
AH...
CHAMBRE
REMARQUE, SI TU RESTES DANS TON CARTON, TU PRENDS MOINS DE PLACE.
ÇA ME DÉRANGE MOINS.
CHAMBRE
ALORS, DANS CE CAS...
CHAMBRE

COMMENT ON VA FAIRE POUR VIVRE ENSEMBLE ET PARTAGER LA MÊME CHAMBRE ALORS QU'ON NE SE SUPPORTE PAS ?
REMARQUE, LE FAIT QU'ON NE SE SUPPORTE PAS MUTUELLEMENT, ÇA NOUS FAIT UN POINT COMMUN...
OUAIS, ET ON TROUVE CHACUN QUE L'AUTRE EST UN IDIOT ET RÉCIPROQUEMENT.
ET ON RÂLE TOUT LE TEMPS ET ON TROUVE TOUT LE MONDE NAZE.
ET ON PRÉFÈRE SE FAIRE ROULER DESSUS PLUTÔT QUE DE RECONNAÎTRE QU'ON A TORT.
MINCE... ON EST FAITS POUR S'ENTENDRE, EN FAIT...
MAIS BON, ON A L'ESPRIT DE CONTRADICTION AUSSI...
... DONC ON PEUT DIRE QU'ON NE PEUT PAS COHABITER.
OUF...

PFF...
JE M'ENNUIE...
ON JOUE À UN TRUC ?
ENCORE ?
ALLEZ....
BON, BON...
ON JOUE AU PAPA ET À LA MAMAN ?
BON, ALORS... IL FAUT PAYER LA CANTINE, LA PROF DE PIANO, LA LICENCE POUR LE FOOT...
DEMAIN, ON A LE MÉDECIN À 16 HEURES, PUIS RÉUNION PARENTS-PROFS À 18 HEURES...
BON, EN FAIT, C'EST NUL DE JOUER AU PAPA ET À LA MAMAN.
ON JOUE À QUOI, ALORS ?
MMH...
JE SAIS PAS, ON JOUE AU DOCTEUR ?
MAIS C'EST DÉGUEU...
ALLEZ...
ALORS, DOCTEUR ?
AH... VOUS N'AVEZ PAS DE COUVERTURE SOCIALE...
DÉSOLÉ, JE NE PEUX RIEN POUR VOUS...

OH LÀ LÀ... NE REGARDE PAS !
Y A TON PÈRE QUI EMBRASSE MA MÈRE...
QUOI ? OÙ ÇA ?
JE T'AI DIT DE NE PAS REGARDER ! TU VEUX FINIR TRAUMATISÉE, OU QUOI ?
EURK...
JE TE L'AVAIS DIT !
J'Y PEUX RIEN.
C'EST COMME LES FILMS D'HORREUR...
... C'EST HORRIBLE, C'EST DÉGUEU, ÇA FAIT PEUR...
... MAIS JE NE PEUX PAS M'EMPÊCHER DE REGARDER.
C'EST DÉCIDÉ, JE NE TOMBERAI JAMAIS AMOUREUSE.
L'AMOUR EST UNE TERRIBLE MALADIE DÉGÉNÉRATIVE.
QU'EST-CE QUE TU RACONTES ?
REGARDE NOS PARENTS.
ILS SONT DEVENUS COMPLÈTEMENT IDIOTS, ILS RIGOLENT BÊTEMENT POUR N'IMPORTE QUOI... ILS SE BALADENT À MOITIÉ NUS TOUT LE TEMPS...
PERTE TOTALE DE DIGNITÉ...
ILS NE PEUVENT PLUS FAIRE UN PAS SANS ÊTRE COLLÉS L'UN À L'AUTRE.
PERTE TOTALE D'AUTONOMIE...
ET ALLEZ... C'EST REPARTI.
ILS S'EMBRASSENT À NOUVEAU À PLEINE BOUCHE, BEURK !
ET MAINTENANT, ILS BAVENT PARTOUT...
SI C'EST PAS LA PREUVE ULTIME QUE C'EST DÉGÉNÉRATIF !

ÇA FAIT COMBIEN DE TEMPS QUE ÇA DURE ?
AU MOINS UNE DEMI-HEURE...
ET ILS NE REPRENNENT JAMAIS LEUR SOUFFLE OU QUOI ?
AH, ÇA Y EST. ÇA S'ARRÊTE.
AH NON, ÇA REPART.
C'EST SANS FIN...
ÇA NE LES DÉRANGE PAS DE FAIRE ÇA DEVANT NOUS...
OUAIS, ON N'EXISTE PLUS POUR EUX.
ILS NOUS FOUTENT UNE PAIX ROYALE.
TU VOIS, VIVE L'AMOUR, FINALEMENT.
YOUPI...
LA GUERRE, C'EST PAS BIEN.
LA MISÈRE, C'EST TRISTE.
LES MÉCHANTS SONT VILAINS.
L'INJUSTICE, C'EST PAS JUSTE.
LA MALCHANCE, C'EST PAS DE CHANCE.
SEUL L'AMOUR SAUVERA LE MONDE. AIMONS L'AMOUR.
TU FAIS QUOI ?
TU ÉCRIS UNE CHANSON DE VARIÉTÉ FRANÇAISE ?
AIMONS-NOUS VIVANTS ET PAS MORTS...

LE PATRIARCAT NE PASSERA PAS PAR MOI.
Y EN A MARRE !
SI JAMAIS JE ME MARIE AVEC UN GARÇON UN JOUR, ET ENCORE, C'EST FRANCHEMENT PAS SÛR...
... JE GARDERAI MON NOM DE JEUNE FILLE !
TU VEUX DIRE LE NOM DE TON PÈRE ?
EH BIEN, JE PRENDRAI LE NOM DE JEUNE FILLE DE MA MÈRE, DANS CE CAS !
TU VEUX DIRE LE NOM DE TON GRAND-PÈRE MATERNEL ?
ET T'EN PENSES QUOI, TOI, DU PATRIARCAT ?
BEN, JE VIVAIS AVEC MA MÈRE...
J'ÉTAIS PLUTÔT SOUS LA COUPE DU MATRIARCAT.
WAW, LA CHANCE...
ALORS... COMMENT DIRE...

MA MÈRE AVAIT RÉUSSI, QUELQUE PART, À S'AFFRANCHIR DU PATRIARCAT.
COMMENT ÇA ?
BEN, ELLE AVAIT RÉUSSI À TROUVER UN BON TRAVAIL, DÉJÀ.
ET, SURTOUT, ELLE REFUSAIT QUE SA VIE DE FEMME SE RÉSUME AUX TÂCHES MÉNAGÈRES À LA MAISON.
WAOUH ! ELLE AVAIT FAIT COMMENT ?
ELLE AVAIT PRIS UNE FEMME DE MÉNAGE.
MOI AUSSI, JE REFUSE LE PATRIARCAT, HEIN.
MOUAIS... TU Y TROUVES QUAND MÊME TON COMPTE EN TANT QUE MEC...
JE NE VEUX PAS DE LA NORME QUE LE PATRIARCAT VEUT AUSSI IMPOSER AUX GARÇONS.
JE REFUSE QU'ON ME DISE QUOI FAIRE, COMMENT ME COMPORTER.
J'AI MON LIBRE ARBITRE.
LES ENFANTS ! IL FAUT METTRE LA TABLE !
BON, PARFOIS, IL FAUT TRANSIGER UN POIL AVEC SES CONVICTIONS...
DE TOUTE FAÇON, Y A PAS PIRE QUE LE PARENTRIARCAT...

TU FAIS QUOI, LÀ ?
C'EST MON MOMENT PRÉFÉRÉ À L'AUTOMNE !
SAUTER DANS LES FEUILLES MORTES QUI SONT TOMBÉES DES ARBRES.
J'ADORE ÇA !
T'ES PAS BIEN OU QUOI ?
ON NE SAIT PAS CE QU'IL Y A LÀ-DESSOUS !
ÇA GROUILLE DE PLEIN DE TRUCS DÉGUEUS, DE VERMINE...
C'EST TOUT POURRI...
ET...
ET QUOI ?
... ET JE ME RENDS COMPTE QUE C'EST TON MILIEU NATUREL, EN FAIT.
NON, MAIS C'EST PAS POSSIBLE... C'EST QUOI, CE DÉLIRE, ENCORE ?
JE CÉLÈBRE LA VIE, PATATE !
MAIS CE SONT DES FEUILLES MORTES !
C'EST PLEIN DE VIE, LÀ-DESSOUS.
DES VERS, DES INSECTES, DES CHAMPIGNONS À LA PELLE !
ET APRÈS, ÇA POURRIT ET SE TRANSFORME EN HUMUS POUR FERTILISER LA TERRE POUR QUE TOUT REPARTE AU PRINTEMPS.
BREF, LE POURRI, C'EST LA VIE !
COMME DISAIT LE SAGE, N'OUBLIE PAS QUE POURRI TU ES NÉ, POURRI TU REDEVIENDRAS.
MON ROYAUME POUR UNE DOUCHE...

IL FAUT QUE TU ARRÊTES DE JOUER LES CASSE-COUS, HEIN...
ACCROCHE-TOI BIEN À MES MAINS, JE VAIS TE REMONTER.
EUH, JE PEUX TE FAIRE CONFIANCE ?
HONNÊTE-MENT ?
OUAIS.
PAS TROP, NON.
MERCI. JE ME SERAIS MÉFIÉE SI TU M'AVAIS RÉPONDU OUI.
DIS, T'AS PEUR DE MOURIR, TOI ?
HA HA HA HA !
BON...
HUHU HU...
ALORS ?
HAHA...
BAH OUI, PATATE !
HAHAHA, QUELLE QUESTION !

AH, ENFIN LA CIVILISATION !
PAS DE FEUILLES MORTES, PAS DE POURRI !
DU PLASTIQUE, DU SYNTHÉTIQUE, DE L'ÉLECTRONIQUE !
DU PROPRE !
TU PARLES ! C'EST L'INVERSE DE LA VIE, ET EN PLUS, ÇA POLLUE !
TIENS, ESSAIE ÇA, JUSTE UNE FOIS.
ET, CROIS-MOI, TU VAS ENFIN VIVRE TA MEILLEURE VIE !
TOI, TU VAS FINIR DEALER...
HAHA, ET VOILÀ, T'ES MORTE !
SYMBOLIQUEMENT, JE VEUX DIRE.
DANS LE JEU.
HÉ, ÇA VA, C'EST PAS GRAVE, HEIN.
T'ES PAS MORTE DANS LA VRAIE VIE.
OUAIS, BEN, J'AURAIS PRÉFÉRÉ.
POUR NE PAS VIVRE CETTE HUMILIATION...

HIVER

HAN, TU POLLUES ! TU FAIS DE LA FUMÉE !
N'IMPORTE QUOI, C'EST PAS DE LA FUMÉE. C'EST DU CO_2, D'ABORD, BANANE !
OUAIS, BEN, C'EST PAREIL ! TU PARTICIPES AU RÉCHAUFFEMENT CLIMATIQUE.
TOI AUSSI, ALORS...
HÉ, SI ON ARRÊTE DE RESPIRER, ÇA RÉSOUT LE PROBLÈME, NON ?
SI TU ARRÊTES DE RESPIRER PENDANT 10 MINUTES, TU PEUX ÊTRE SÛR QUE TU NE POLLUERAS PLUS DU TOUT.
VAS-Y, JE CHRONO-MÈTRE.

CHARLIE, TU VEUX FAIRE UN BONHOMME DE NEIGE ?
TU VEUX DIRE UN TRUC SUPER CONVENU POUR LA SAISON ?
QUE TOUT LE MONDE FAIT, QUI EST TOUT MOCHE ET QUI NE RESSEMBLE À RIEN ?
ET QUI VA FONDRE ET DEVENIR TOUT DÉGUEU EN MOINS DE DEUX JOURS ?
EUH... OUAIS...
GÉNIAL, FAISONS ÇA !
BONHOMME DE NEIGE, BONHOMME DE NEIGE...
PFF...
T'ES PAS CONTENTE ?
BEN, C'EST TOUJOURS PAREIL.
ENCORE ET TOUJOURS UN HOMME...
BONJOUR L'ÉGALITÉ... ET MERCI LE PATRIARCAT, ENCORE !
EUH... TU VEUX FAIRE UNE BONNE FEMME DE NEIGE ?
C'EST VRAI QUE DIT COMME ÇA...

TIENS, VOILÀ ! ON A FAIT UN "TRUC DE NEIGE" ! T'ES CONTENTE ?
C'EST INCLUSIF ET TOUT.
CHACUN PEUT S'Y RECONNAÎTRE.
OUAIS, OUAIS, C'EST MIEUX...
MAIS BON...
QUOI ENCORE ?
BEN... C'EST MOCHE.
OUAIS, C'EST INCLUSIF.
MÊME POUR LES MOCHES.

ALORS, T'ES CAP OU PAS CAP ?
CAP DE QUOI ?
BEN, D'ÊTRE CAP.
TU ME DEMANDES SI JE SUIS CAP OU PAS CAP D'ÊTRE CAP ?
OU PAS CAP.
ÇA NE VEUT RIEN DIRE, JE NE RÉPONDS PAS À ÇA.
DONC T'ES PAS CAP D'ÊTRE CAP OU PAS CAP D'ÊTRE CAP OU PAS CAP !
PFF, J'ABANDONNE...
HA ! JE LE SAVAIS ! T'ES PAS CAP, ALORS !
MAIS DE QUOI ?!!

JE SUIS SÛRE QUE T'ES PAS CAP D'ATTEINDRE L'ARBRE LÀ-BAS, AVEC UNE BOULE DE NEIGE !
POUR QUOI FAIRE ?
BEN, POUR VOIR QUI EST LE PLUS FORT !
NON, MAIS JE N'AI PAS BESOIN DE MONTRER QUE JE FAIS PIPI PLUS LOIN QUE LES AUTRES.
PFF... TU ME SAOULES...
T'ES PAS DRÔLE...
YES ! DANS LE MILLE !
HÉ ! ÇA VA PAS ?!!
BEN, C'EST DRÔLE, NON ?

TU FAIS QUOI, LÀ ?
JE VEUX LA PAIX.
ET TU TE FAIS TOUT UN STOCK DE BOULES DE NEIGE POUR ÇA ??
SI TU VEUX LA PAIX, PRÉPARE LA GUERRE.
SI VIS PACEM, PARA BELLUM.
N'IMPORTE QUOI...
ON NE COMPREND RIEN À CE QUE TU DIS, D'ABORD.
HÉ ! T'ES VRAIMENT PAS BIEN DANS TA TÊTE !
C'EST BON, MAINTE-NANT QU'ON A FAIT LA GUERRE, ON PEUT FAIRE LA PAIX.

TU ÉCRIS QUOI ?
WHY ?
MA MAÎTRESSE VEUT QU'ON DISE POURQUOI ON AIME L'HIVER.
C'EST NUL, COMME QUESTION.
DE TOUTE FAÇON, JE N'AIME PAS DU TOUT L'HIVER.
IL FAIT FROID, IL FAIT MOCHE, TOUT EST MORT...
AH. JE LE NOTE, ALORS.
ET POURQUOI ?
ÇA ME FAIT UNE RAISON DE PLUS D'AIMER L'HIVER.

TU CROIS AU PÈRE NOËL, TOI ?
C'EST UNE QUESTION PIÈGE, NON ?
SI JE RÉPONDS NON, TU VAS LE RÉPÉTER AUX PARENTS, JE SUIS SÛR, ET J'AURAI MOINS DE CADEAUX.
SI JE RÉPONDS OUI, TU VAS ME PRENDRE POUR UN DÉBILE...
RASSURE-TOI.
QUOI QUE TU DISES, JE TE PRENDS TOUJOURS POUR UN DÉBILE.

FRANCHEMENT, CE TRUC DE NOUS FAIRE CROIRE AU PÈRE NOËL...
OU À LA PETITE SOURIS...
OUAIS, C'EST N'IMPORTE QUOI.
LES ADULTES NOUS PRENNENT VRAIMENT POUR DES DÉBILES...
ALORS QUE C'EST EUX, LES DÉBILES...
... QUAND ILS NOUS CROIENT QUAND ON FAIT SEMBLANT D'Y CROIRE.
LES TEUBÉS...
ÉCRIRE UNE LETTRE AU PÈRE NOËL, MAINTENANT...
NON, MAIS FRANCHEMENT, C'EST N'IMPORTE QUOI...
OUAIS, AVEC UN TIMBRE, UNE ENVELOPPE ET TOUT. ON CROIT RÊVER...
À LA LIMITE, JE VEUX BIEN LUI ENVOYER UN MAIL. ÇA, OK.
OU UN SMS OU UN MESSAGE PRIVÉ, QUOI.
MAIS OUAIS !
HÉ, FAUT VIVRE AVEC SON TEMPS, HEIN !
OK, BOOMER ?!

LA MÈRE NOËL, PERSONNE N'EN PARLE. C'EST FOU.
PEUT-ÊTRE PARCE QU'ELLE N'EXISTE PAS, TOUT SIMPLEMENT.
BAH, S'IL Y A UN PÈRE NOËL, IL Y A FORCÉMENT UNE MÈRE NOËL, HEIN.
C'EST DE LA LOGIQUE DE BASE.
SINON, CE SERAIT SIMPLEMENT UN MONSIEUR NOËL.
OU UN JEAN-MICHEL NOËL.
VU QUE LE PÈRE NOËL N'EXISTE SANS DOUTE PAS, POURQUOI LA MÈRE NOËL EXISTERAIT ?...
UNE FEMME QUI N'EXISTERAIT PAS ET QUI N'EXISTE PAS EN MÊME TEMPS...
C'EST ENCORE UNE FEMME QU'ON INVISIBILISE.
ET DEUX FOIS, EN PLUS !
J'EN AI MARRE D'ENTENDRE PARLER DE NOËL, TOUT LE TEMPS.
DE TOUTE FAÇON, C'EST DEVENU UNE FÊTE COMMERCIALE.
ÇA NE VEUT PLUS RIEN DIRE...
OUAIS...
MAIS C'EST TANT MIEUX, QUAND MÊME.
POURQUOI ?
BEN, PARCE QU'ON A PLEIN DE CADEAUX...
... ET C'EST PAS NOUS QUI PAYONS.
ENCORE HEUREUX !

HÉ, QU'EST-CE QUE TU FAIS SOUS LA TABLE ?
BEN, C'EST POUR TIRER LES ROIS.
NAN, MAIS C'EST TOUJOURS MOI QUI VAIS SOUS LA TABLE POUR TIRER LES ROIS !
MOI AUSSI, AVEC MON PÈRE, C'EST TOUJOURS MOI !
BON, DE TOUTE FAÇON, JE M'EN FICHE...
... CE SERA ENCORE MOI LE ROI.
ÇA A TOUJOURS ÉTÉ MOI, LE ROI !
N'IMPORTE QUOI ! C'EST MOI QUI SERAI LA REINE ! COMME À CHAQUE FOIS !

HEUREUSEMENT QUE NOS PARENTS AVAIENT PRIS DEUX GALETTES.
COMME ÇA, ON A CHACUN NOTRE COURONNE !
TU PARLES, C'EST UNE FAÇON FACILE POUR EUX D'AVOIR LA PAIX.
ET DE NOUS LAISSER NOUS DÉBROUILLER ENSUITE SEULS, ENTRE NOUS, POUR TRANCHER...
HEIN ?
BEN, ÇA VA ÊTRE QUI, LE CHEF ? OU LA CHEFFE ? QUI VA OBÉIR À L'AUTRE ?
ALORS, POUR COMMENCER, METS-TOI À GENOUX ET BAISSE LA TÊTE, AVANT DE T'ADRESSER À TON ROI.

JE NE VOIS QU'UNE ISSUE POSSIBLE.
UNE SOLUTION À DEUX ÉTATS.
À TOI, LE GARAGE, ET À MOI, TOUT LE RESTE. OK ?
ET POURQUOI PAS L'INVERSE ?
C'ÉTAIT CHEZ MOI, ICI, AVANT QUE TU ARRIVES AVEC TA MÈRE !
SINON, ON FAIT LA GUERRE ET CELUI QUI GAGNE REMPORTE TOUT.
ET CELUI, ENFIN, CELLE, QUI PERD, DEVIENT L'ESCLAVE DE L'AUTRE.
AH OUAIS, ET ELLE EST OÙ, TON ARMÉE ?
NAN, MAIS JE VOULAIS DIRE, ON " DIRAIT " QU'ON FAIT LA GUERRE...
AH, OK... DANS CE CAS, ON " DIRAIT " QUE TU AS PERDU, ALORS.
BON, BON, JE TE LAISSE ÊTRE LA SEULE REINE. TU AS GAGNÉ.
QU'EST-CE QU'IL SE PASSE ? TU ES MALADE ?
NON, MAIS JE ME DIS QUE VOULOIR LE POUVOIR À TOUT PRIX, CE N'EST PAS POUR MOI. CE N'EST PAS MON BUT DANS LA VIE.
ET PUIS, ÇA PERMET UN PEU DE PARITÉ POUR TENTER DE RATTRAPER DES SIÈCLES DE DOMINATION MASCULINE, TU VOIS. À TOI DE JOUER.
OÙ EST PASSÉ LE GÂTEAU QUE J'AVAIS ACHETÉ POUR CE SOIR ???
AH, ET C'EST MAINTENANT TON JOB DE REINE DE RÉGLER LES CONFLITS DIPLOMATIQUES AVEC LES ENNEMIS, AU FAIT.

PFF... JE LAISSE TOMBER AUSSI CE TRUC DE REINE, LÀ.
C'EST QUE DES ENNUIS. QUE DES SOUCIS.
JE ME FAIS GRONDER TOUTE SEULE POUR DEUX, EN PLUS.
OK, PLUS DE ROI NI DE REINE... MAIS QUOI, ALORS, À LA PLACE ?
BEN, RIEN. C'EST L'ANARCHIE !
OUAIS, NI DIEU NI MAÎTRE !
ON MET LE BAZAR PARTOUT ! ON FAIT N'IMPORTE QUOI !
ALORS, NON, HEIN.
LA VRAIE ANARCHIE ORIGINELLE. LA RESPONSABILITÉ INDIVIDUELLE...
... DANS UN COLLECTIF SOLIDAIRE SANS AUTORITÉ NI HIÉRARCHIE, TOUT ÇA.
PFFF... TOUT DE SUITE, C'EST MOINS DRÔLE...

FRANCHEMENT, LA NEIGE QUI FOND, C'EST DÉGUEU.
TOUT DEVIENT GRIS ET MARRON, TOUT DEVIENT MOCHE ET SALE.
BEN...
QUOI ? TU VAS ENCORE ME DIRE QUE ÇA GROUILLE DE VIE, LÀ-DESSOUS ?
COMME POUR LES FEUILLES MORTES À L'AUTOMNE ?
YOUPLABOUM, C'EST LA CÉLÉBRATION DE LA VIE, C'EST ÇA ?
ON PEUT SE VAUTRER DEDANS AUTANT QU'ON VEUT, YOUKAÏDI, YOUKAÏDA ?
AH NON, NON.
JE CONFIRME QUE C'EST BIEN DÉGUEU, LÀ.

PRINTEMPS

QU'EST-CE QUE TU FAIS ?
LAISSE-MOI, JE VEUX RESTER TOUTE SEULE.
ATTENDS, ÇA Y EST, C'EST LE PRINTEMPS. LA VIE REPREND SES DROITS, TOUT ÇA, C'EST LA JOIE.
ET PUIS TU AIMES TRAÎNER DEHORS, D'HABITUDE.
OUAIS, BEN, J'AIME PAS LE PRINTEMPS.
C'EST N'IMPORTE QUOI.
IL N'Y A AUCUNE RAISON DE NE PAS AIMER LE PRINTEMPS.
SI, IL Y EN A UNE.
PARCE QU'IL FAIT ENFIN BEAU...
... ET QUE MON PÈRE M'OBLIGE À PORTER UNE JUPE...

REGARDE, FRANCHEMENT, JE NE RESSEMBLE À RIEN, COMME ÇA...
BAH, T'ÉTAIS MOCHE AVANT, TU RESTES MOCHE, JE CONFIRME.
PFF... ON DIRAIT UN ABAT-JOUR...
MAIS SANS LA LUMIÈRE.
HÉ, TU POURRAIS ME SOUTENIR UN PEU, PLUTÔT QUE DE M'ENFONCER !
ATTENDS, JE VAIS DANS TON SENS, HEIN, JE NE TE CONTREDIS PAS.

GENRE, TON PÈRE, IL N'A JAMAIS PORTÉ DE JUPE DE SA VIE ET IL TE FORCE À LE FAIRE ?
BAH, C'EST TYPIQUE DES HOMMES DE DIRE AUX FILLES COMMENT S'HABILLER...
... SANS JAMAIS AVOIR PORTÉ LES MÊMES VÊTEMENTS.
EN PLUS, VU COMMENT TON PÈRE S'HABILLE MOCHE, IL FERAIT MIEUX DE NE PAS LA RAMENER QUESTION FRINGUES.
HÉ, VAS-Y, CRITIQUE PAS MON PÈRE !
BEN, EUH...
NON, MAIS ÇA ME PLAÎT BIEN, HEIN. TU PEUX CONTINUER.

DE TOUTE FAÇON, TU NE PEUX PAS COMPRENDRE.
TOI, TU ES UN GARÇON. TU PEUX T'HABILLER COMME TU VEUX.
TU PARLES D'UNE LIBERTÉ...
J'AI LE DROIT DE PORTER UNIQUEMENT DES PANTALONS, DES BERMUDAS OU DES SHORTS.
BREF, LE MÊME TRUC PLUS OU MOINS COURT.
COMMENT JE SUIS TROP LIBRE !...
ATTENDS, T'AS LE DROIT AU PANTACOURT AUSSI, HEIN.
PARLE PAS DE MALÉDICTION, STEUPL'...
SI JE VEUX GRIMPER DANS LES ARBRES, ON PEUT VOIR MA CULOTTE...
SI JE COURS, SI JE SAUTE SUR CE BANC, PAREIL !
LA JUPE, C'EST UN TRUC POUR NOUS OBLIGER, NOUS LES FILLES, À RESTER BIEN SAGES DANS NOTRE COIN...
C'EST UNE PRISON, LES JAMBES À L'AIR LIBRE...
ET JE NE PARLE PAS DES COURANTS D'AIR...
C'EST FOU, LE POUVOIR D'UNE SIMPLE BANDE DE TISSU...
MANQUERAIT PLUS QU'ON VEUILLE AUSSI ME LA METTRE SUR LA TÊTE...

T'AS QU'À ESSAYER, SI TU NE ME CROIS PAS.
TU ME FILES TON SHORT ET JE TE FILE MA JUPE, TU VERRAS CE QUE ÇA FAIT D'EN PORTER.
TU SAIS, CERTAINS HOMMES PORTENT DÉJÀ DES JUPES. LES ÉCOSSAIS, PAR EXEMPLE, AVEC LEURS KILTS.
MÊME LES GUERRIERS ÉCOSSAIS SE BATTAIENT EN JUPE.
OUAIS, MAIS C'EST PAS PAREIL.
ILS NE PORTAIENT PAS DE CULOTTE EN DESSOUS.
DONC, ON NE POUVAIT PAS VOIR LEUR CULOTTE ! SUIS UN PEU...
AH OUI, C'EST VRAI...

T'EN AS COMBIEN, DES JUPES ?
BEN, UNE SEULE, HEUREUSE-MENT.
RIEN QU'UNE, ÇA SUFFIT POUR ME POURRIR LA VIE.
HÉ ! T'ES PAS BIEN ?!
JE VAIS ÊTRE OBLIGÉE DE ME CHANGER ET DE METTRE UN PANT...
... OOOH BIEN JOUÉ, EN FAIT.
AVEC PLAISIR.

TIENS, JE TE PRÊTE UN SHORT POUR QUE TU PUISSES ENLEVER TA JUPE.
MERCI.
ALORS ?
BEN, ÇA ME VA IMPEC !
C'EST GÉNIAL, CE TRUC !
ON PEUT AVOIR LES JAMBES À L'AIR, SANS AVOIR LA CULOTTE À L'AIR !
TIENS, JE TE FAIS UN BIS...
OUPS, PARDON, ON A FRÔLÉ LE PIRE...
J'AI CRU VOIR MA VIE DÉFILER DEVANT MES YEUX...

T'AS VU ? Y A TON PÈRE QUI ENGUEULE MA MÈRE...
MMH... JE DIRAIS PLUTÔT QUE C'EST TA MÈRE QUI ENGUEULE MON PÈRE.
AH NON, ILS S'ENGUEULENT AUTANT L'UN QUE L'AUTRE, EN FAIT.
MATCH NUL.
C'EST RASSURANT, NON ?
EN TOUT CAS, C'EST MIEUX QUE QUAND ILS S'EMBRASSAIENT SANS FIN DEVANT NOUS EN BAVANT PARTOUT.
OUAIS. CARRÉMENT MOINS DÉGUEU.

TON PÈRE A COUPÉ DES BRANCHES DES ARBRES, CE MATIN. ON POURRAIT FAIRE UNE CABANE EN BOIS.
TROP COOL !
UN TRUC SIMPLE, HEIN, EN FORME DE TENTE, TU VOIS. VITE FAIT, QUOI.
OK.
MAIS IL FAUT QUAND MÊME PRÉVOIR UN EXTÉRIEUR, GENRE UNE TERRASSE...
... UNE CUISINE ÉQUIPÉE, UNE GRANDE SALLE DE BAIN AVEC UNE BAIGNOIRE ET UNE DOUCHE À L'ITALIENNE...
HEIN ? MAIS POURQUOI ?
HÉ, FAUT PENSER À LA REVENTE ! MON PÈRE DIT TOUJOURS ÇA.
QU'EST-CE QUE TU VEUX DIRE PAR "IL FAUT INVESTIR TOUT DE SUITE DANS LA PIERRE" ?
BEN, C'EST UN TRUC POUR DIRE QU'IL FAUT ACHETER DE L'IMMOBILIER POUR S'ENRICHIR.
ENFIN, JE CROIS...
TU SAIS, JE NE SUIS QU'UNE ENFANT. JE NE FAIS QUE RÉPÉTER CE QUE J'ENTENDS LES ADULTES DIRE À LA MAISON.
SANS VRAIMENT COMPRENDRE DE QUOI ILS PARLENT.
AH OUF... TU M'AS FAIT PEUR...
NAN, JE DÉCONNE.
IL FAUT ACHETER LE PLUS TÔT POSSIBLE. SÉRIEUX.

ATTENDS, C'EST PAS UN PEU BEAUCOUP BOURGEOIS D'ÊTRE PROPRIÉTAIRE ?
NON, MAIS...
ET TON CHE GUEVARA, LÀ, TU VAS L'ACCROCHER DANS LA MAISON QUE TU POSSÈDERAS ?
C'EST-À-DIRE QUE...
HAHA, TU NE SAIS PAS QUOI DIRE POUR TA DÉFENSE. JE T'AI EUE !
NON MAIS... EN FAIT... TU SAIS...
EUH... ÇA NE SE FAIT PLUS AUJOURD'HUI EUH... DE CRITIQUER UN MODE DE VIE EUH... SI ON NE LE CONNAÎT PAS PERSO...
OUI, ET ?
BEN, IL FAUT ÊTRE BOURGEOIS SOI-MÊME POUR POUVOIR CRITIQUER LA BOURGEOISIE...

DIS, J'AI ÉTÉ FAIRE PIPI CETTE NUIT ET J'AI VU QUE TON PÈRE DORMAIT DANS LE CANAPÉ...
ÇA LUI ARRIVE SOUVENT ?
JE NE SAIS PAS, MOI...
PEUT-ÊTRE QUE TA MÈRE RONFLE TROP FORT ET L'EMPÊCHE DE DORMIR.
HÉHO, MA MÈRE NE RONFLE PAS !
C'EST TON PÈRE QUI DOIT RONFLER TROP FORT, PLUTÔT !
MON PÈRE NE RONFLE PAS !
EH BEN MA MÈRE NE RONFLE PAS NON PLUS !
OU ALORS, ILS RONFLENT TOUS LES DEUX TROP FORT...
AH, UN NOUVEAU MATCH NUL, ÇA ME VA, ÇA.

TIENS, J'AI UNE COLLE À TE POSER.
UMM...
ATTENTION, C'EST SUBTIL.
T'ES PLUTÔT WOKE, EWOK OU WOK ?
OH MISÈRE...
BEN QUOI ? C'EST DRÔLE...
ON DIRAIT UNE "BLAGUE" DE BOOMER...
HÉ HO !
ON AVAIT DIT PAS LES INSULTES !

INTELLO !
BOBO !
BIEN-PENSANT, VA !
ESPÈCE D'HUMANISTE !
PFIOU, C'EST COMPLIQUÉ DE S'ENVOYER DES INSULTES FAÇON RÉAC...
OUAIS, ELLES SONNENT TOUJOURS COMME DES QUALITÉS...

T'ENTENDS ?
QUOI ?
BEN, ON N'ENTEND RIEN.
C'EST SUPER SILENCIEUX, CE SOIR.
QU'EST-CE QU'IL SE PASSE ?
AH OUI, NOS PARENTS NE S'ENGUEULENT PLUS.
ILS SE FONT LA GUEULE. LA NUANCE EST SUBTILE.
COOL, ÇA NOUS FAIT DES VACANCES.
OUAIS, POURVU QUE ÇA DURE...
BON, BEN FINALEMENT, ÇA NE DURE PAS.
JE PARS CE SOIR AVEC MA MÈRE.
QUOI ?
ILS ONT DÉCIDÉ DE ROMPRE.
ENFIN ! ON A CRU QUE ÇA N'ARRIVERAIT JAMAIS.
COMME QUOI, IL NE FAUT JAMAIS DÉSESPÉRER.
MALCOLM
POUR UNE FOIS QU'ILS NE NOUS DÉÇOIVENT PAS...
MALCOLM
NOUS AUSSI, ON VA DEVOIR SE QUITTER, ALORS.
OUAIS...
MALCOLM
MAIS BON, IL FAUT PARFOIS SE SACRIFIER POUR LA CAUSE.
ET LA CAUSE EST BELLE.
MALCOLM

T'AS L'AIR CONTENT DE PARTIR...
TU AS AUSSI L'AIR CONTENT QUE JE PARTE.
BON DÉBARRAS PAREIL !
OUAIS, BON DÉBARRAS !
ENCORE UN NUL, DIS DONC.
C'EST NUL, QUOI...
OUAIS, UN NUL NUL...
TIENS, JE TE LE DONNE.
EUH... MERCI ?
ÇA POURRA PEUT-ÊTRE TE SERVIR.
BON, Y A PAS BEAUCOUP DE LECTURE DESSUS, MAIS MERCI.
TIENS, ÇA AUSSI, ÇA POURRA TE SERVIR.
JE NE SUIS PAS SÛRE QUE ÇA REBONDISSE BIEN, MAIS MERCI AUSSI.
ÇA FERA UN BON SOUVENIR, AU MOINS.
ÇA FERA UN BON CALE-MEUBLE.

AH... ENFIN SEULE !
AH, TU VOIS, TU FAIS MOINS LE MALIN QUAND TU NE PEUX PAS ME CONTREDIRE.

James

REMERCIEMENTS

Je remercie très rarement dans mes livres les gens qui m'ont accompagné pendant leur réalisation. Non par ingratitude. Je le fais en général en direct avec les personnes concernées, de manière privée. Je ne suis pas un grand fan des effusions en public. Cette fois-ci, c'est un peu différent.

Ce livre et les deux gamins qui l'animent sont le fruit d'un long cheminement. Ils m'ont occupé au quotidien pendant l'année passée. Mais en réalité, ils occupaient mon esprit depuis 2007. Cela faisait 17 ans que ces personnages avaient été créés, leurs caractères définis, les thématiques envisagées et les vingt premiers strips écrits et dessinés. Le projet n'avait pas convaincu à l'époque, les thèmes qu'il abordait n'ayant alors sans doute pas suffisamment infusé dans la société, son parti pris graphique et narratif ne rentrant pas bien dans les cases du marché. Cependant je n'arrivais pas à me débarrasser de lui. Et pourtant, des projets abandonnés, enfouis, oubliés et qui resteront en l'état, j'en ai dans mes tiroirs – c'est le lot de tout auteur. Ces Garçons Manqués se rappelaient constamment à moi. Les personnages me faisaient comprendre qu'ils voulaient exister sur papier et qu'ils avaient des choses à dire sur l'époque.

Après des années de tergiversations, j'avais finalement refait une tentative en 2021 en redessinant les premiers strips. Mais sans me convaincre moi, cette fois-ci, du résultat final. Je n'avais alors démarché personne à ce moment-là. Ce n'est que l'an dernier que j'ai trouvé une façon de remettre en forme ce projet qui me semblait enfin juste. En allant encore un peu plus loin dans le parti pris « strip à l'ancienne », avec un trait plus affirmé et l'usage de la bichromie et de trames. C'est cette dernière version que vous tenez entre les mains.

Merci donc à Olivier Sulpice et à Clément Argouarc'h d'avoir accueilli sans hésitation ces gamins au sein de Fluide Glacial et de me faire confiance, après un autre titre particulier, *Anatole(s)*, sur des projets un peu atypiques pour la maison.

Merci à la team Fluide, Jessica pour son suivi vigilant, bienveillant et enthousiaste, Kévin alias mon sauveur pour ces belles couleurs, Karen pour son lobbying actif auprès des libraires, Valentine pour tout ce qu'elle fait pour défendre nos livres une fois qu'ils sont lâchés dans la nature et Valérie, notre mère à tous là-bas.

Et si par chance vous êtes arrivés à la fin de ce texte bien trop long, merci à vous d'avoir lu ce livre qui, vous l'aurez compris, compte particulièrement à mes yeux.

Première apparition de Charlie et Malcolm datant de 2007 – preuve qu'on peut encore un peu s'améliorer en dessin avec l'âge.

DU MÊME AUTEUR

ÉDITIONS FLUIDE GLACIAL

Amour, Passion et CX Diesel
Scénario de Fabcaro et couleurs de BenGrrr, 3 tomes et trois intégrales – 2011 à 2023

Anatole(s)
2021

Barney Stax
Dessin de Guerse – 2022

Discount Héros
Dessin de Boris Mirroir – 2021

Sales mômes, sales vieux
Dessin de Mathilde Domecq – 2020

Chères élites
Dessin de François Ravard – 2019

Backstage
Dessin de Boris Mirroir – 2019

Dieu point zéro
Dessin de Boris Mirroir – 2018

EXPÉ ÉDITIONS

Celui qui ressemble à un lapin
Dessin de Boris Mirroir – 2022

ÉDITIONS DARGAUD

Open space, pandémie, télétravail et autres contrariétés
2021

Dans mon open space
4 tomes et un recueil d'inédits – 2008 à 2018

ÉDITIONS DELCOURT
(collection Pataquès)

William, 31 ans, scénariste
2023

Charles Charles, profession président
Scénario de Marc Dubuisson – 2023

La Vérité nue
2 tomes, 2020 et 2022

Rob
Dessin de Boris Mirroir, 3 tomes – 2019 à 2021

La Mort est dans le pré
Dessin de David De Thuin – 2021

Meurtre à la compta
Dessin de David De Thuin – 2020

La Sémantique c'est élastique
2019

ÉDITIONS 6 PIEDS SOUS TERRE

365 fois 77,8
2012

Pathetik
Dessin de Boris Mirroir, 2 tomes – 2010 et 2012

L'Épi
Dessin de La Tête X – 2011

Les Mauvaises humeurs de James et la Tête X
Avec La Tête X – 2007

Comme un lundi
2006

ÉDITIONS FUTUROPOLIS

... À la folie
Scénario de Sylvain Ricard – 2009

Éditions Audie – Fluide Glacial - 19 Boulevard de Magenta - 75010 Paris
Achevé d'imprimer en mars 2024 par Delabie-Lesaffre, Belgique, sur du papier
Offset 140g provenant de forêts gérées durablement (et ça, c'est vachement bien !).
Dépôt légal : avril 2024 - Première édition

www.fluideglacial.com

PEFC PEFC/07-31-234